Passerelles

DE LA MÊME AUTEURE CHEZ LE MÊME ÉDITEUR

Et les regrets aussi..., roman, 2006

À ta santé, la Vie !, roman

Tome I : *Cognac et Porto*, 2001

Tome II : *Café crème et Whisky*, 2003

Tome III : *Un doigt de brandy dans un verre de lait chaud*, 2004

Quatuor pour cordes sensibles, nouvelles, 2000

Michèle Matteau

Passerelles

Poésie

Collection « Fugues/Paroles »

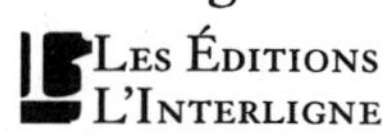

Catalogage avant publication de Bibliothèque et Archives Canada

Matteau, Michèle, 1944-
Passerelles / Michèle Matteau.

(Collection « Fugues/Paroles »)
Poèmes.
ISBN 978-2-923274-47-8

I. Titre. II. Collection.

PS8576.A8294P38 2008 C841'.6 C2008-902306-4

Les Éditions L'Interligne
261, chemin de Montréal, bureau 306
Ottawa (Ontario) K1L 8C7
Tél.: 613-748-0850 / Téléc.: 613-748-0852
Adresse courriel: communication@interligne.ca
www.interligne.ca

Distribution: Diffusion Prologue inc.

ISBN: 978-2-923274-47-8

Dépôt légal: deuxième trimestre 2008
Bibliothèque nationale du Canada

Les Éditions L'Interligne
261, chemin de Montréal, bureau 306
Ottawa (Ontario) K1L 8C7
Tél.: 613-748-0850 / Téléc.: 613-748-0852
Adresse courriel: communication@interligne.ca
www.interligne.ca

Œuvre de la couverture: Robert Chrétien
Graphisme: Estelle de la Chevrotière
Correction des épreuves: Guy Archambault
Distribution: Diffusion Prologue inc.

Les Éditions L'Interligne bénéficient de l'appui financier du Conseil des Arts du Canada, de la Ville d'Ottawa, du Conseil des arts de l'Ontario et de la Fondation Trillium de l'Ontario. Nous reconnaissons l'aide financière du gouvernement du Canada par l'entremise du Programme d'aide au développement de l'industrie de l'édition (PADIÉ) pour nos activités d'édition.

Conseil des Arts
du Canada

ONTARIO ARTS COUNCIL
CONSEIL DES ARTS DE L'ONTARIO

Ottawa Canada

Ce livre est publié aux Éditions L'Interligne à Ottawa (Ontario), Canada. Il est composé en caractère Caslon, corps douze, et a été achevé d'imprimer sur du papier Enviro 100 % recyclé par les presses de l'imprimerie AGMV Marquis (Québec), en avril 2008.

Aux voix
qui se sont éteintes

Elles m'ancrent à la terre ferme
à la neige sale des rues lamentables
aux champs poudreux
gonflés par l'arrogance de juillet

Elles me condamnent
à la tourbe spongieuse
à l'argile suintante des départs

Absences...

Elles m'affublent d'ocre et de grès rose
de falaises calcaires
de cailloux dessalés par le lapement des vagues
de glaciers nacrés de solstice

Elles m'interdisent le deuil
et même la couleur émouvante des mots

Elles n'alignent jamais
les cônes muselés
des cyprès de la nuit

Elles m'enlisent dans le nœud
de mirages souillés d'espérance

Encore brûlante
s'échappe la brume volatile
de comètes étranglées
par leur propre chevelure

Doigts égarés dans les boucles de l'enfance
havre contre la barbarie des premières solitudes
épaule où pleurer le saccage des réveils

Messagères de vent
enracinées aux dunes
pour ne point périr
aux serres des tempêtes

Idées atrophiées
poèmes stériles
paroles étouffées
dans la gorge du Verbe

Grains de lumière épars
coquillages éventrés
résonant du long cri de l'abîme

Implacable
chaque heure mutile
l'apaisement des certitudes

Traits de vie trop brève
flèches de vives braises
piégées aux méandres du souvenir

Amies amours
parcours désertés
sans l'oasis d'un adieu

Passages...

Aurore

Ton rire filtrait
par les interstices des branches
et s'ébrouait dans le mutisme de la rivière

À la pointe étiolée du soir
tu épiais les secrets du temps
pour prédire le goût des lendemains

Aux rocailles nues de mai
à la pierre terne des murets
tes mains essaimaient l'embrun
pour faire éclater la phosphorescence des calices

Après la flambée de l'automne
tes jardins se repliaient
sur la rondeur roussie des hortensias
et le mauve effaré de la vendangeuse

Dans l'atelier d'hiver
tu maniais le feutre et la paille
les velours et les satins

Parmi les fruits et les fleurs
les feuilles et les plumes
la soie pastel des « suivez-moi-jeune-homme »
les têtes sans visage de formes chapeautées
attendaient sous le givre
de pouvoir affrioler le printemps

Puis un jour
plus rien

Ni jardins pour tes mains
ni rivière pour tes yeux
ni rubans pour tes chapeaux

Rien que les chrysanthèmes
d'un septembre mensonger

Et parfois une nuit sonore
où brille un instant
ton rire en gerbe

Matin

Les arbres gardent-ils l'empreinte
de l'écorce qui les enlace ?

La pierre frôlée se souvient-elle
de la chair caressante ?

Dans la montagne qui jaillit de l'hiver
où vont s'embusquer les pas de neige ?

Comment…

Tant de voyages
et pas même l'ombre d'une herbe foulée !

Les perles arrachées
à leur collier d'étreintes
tambourinent-elles longtemps
aux vitres de la mémoire ?

Tricot condamné
au démaillage du temps
qu'es-tu devenu ?

Rongé de patiences inutiles
acculé à des miettes de vie
tu t'es refermé sur le halètement précaire
d'un matin blanc de peur

Chevauchement d'un destin fragile
qui n'aura jamais connu l'audace d'un midi

Et le silence a bu ton nom

Mitan

Des volutes s'enroulent
dans le lit des fougères
le vent de midi
soulève la crinière de la bête

L'archet arrime son galop
aux cordes tendues d'un violoncelle

Bouquets suspendus
sur leurs horizons superposés
charbons incandescents
nichées de triolets en attente d'envol

Entre l'ivoire et l'ébène
je m'accroche aux remous des claviers
pour un impalpable duo
en marge des clefs musicales

Tu ne peux quitter
le camp de l'horreur
la carrière de granit sanglant
où pour se rendre invisibles
tes vingt ans avaient emprunté
le costume de la camarde

Fouet cinglant
curare du verbe incendiaire
bouches allumées des canons
écho apatride d'un dégoût
où l'impossible reste prégnant
de toutes les cruautés

Tu circules franc de port
entre des rives étrangères

Mais tu traînes toujours le boulet fumant
qui freine la course des rescapés

Nuit après nuit
tu hais
jusqu'à ta survivance

Et tu attends
que s'agite enfin le drapeau blanc
qui te permettra de redevenir un homme

Crépuscule

Entre deux « peut-être »
échappés à la déraison
brûlaient tes entrailles nouées

Tu renonçais peu à peu à tes mains
tremblantes de ne plus rien retenir

Tu refusais les miroirs
pour ne plus voir se ternir ton visage

Toi dont la table s'offrait à toutes les faims
toi qui avais toujours eu le temps de prêter l'oreille
tu te réfugiais maintenant
dans la sourde solitude de la douleur

Dans le crépuscule mat
tu ne fus bientôt plus
qu'une supplique

Un requiem
se tordant dans la cendre
d'une dernière illusion

Soir

Éteintes les vocalises
à la barre du jour

Figé le solfège qui divaguait
de rondes en blanches
sur la portée hasardeuse du matin
quand entre pauses et soupirs
ta voix s'échappait
sur la trajectoire du temps

Je devine encore
par delà les feuilles mouillées
le son du cor
le cri de la biche aux abois

Le temps d'une danse dérisoire
je vois résister un veau d'or d'opéra
j'entends la calomnie
enfler ses crescendos d'un vibrato d'oracle

Je me souviens…

Promenades en chansons
mélodies ruisselantes
sur la paix étale des dimanches
Panis angelicus de l'éclatement pascal
Minuit! Chrétiens… harnachant la nuit d'hiver

Tu larguais des villages imaginés
où se cachait l'âme radine des hommes

Tu leur as laissé entrevoir
le gouffre qui s'ouvrait
derrière leurs glaces fracassées

Ils ne te l'ont jamais pardonné

Épuisés
tes songes se sont pendus
au gibet d'anciennes nostalgies

N'en restent aujourd'hui
que des crachins d'arc-en-ciel
sur les chutes d'avril

Lorsque parfois ta voix retentit
au détour d'autres univers
je vois se rider un peu plus
la peau de l'enfance

J'aurai bientôt l'âge de ta mort

Nuit

La vie avait pour toi
les senteurs d'un bel ailleurs

Tu dérivais sur l'améthyste
d'une somnolence marine

Tu forgeais des serpentins
pour effarer l'ennui

Tu inventais des alambics
à distiller le rêve

Tes escapades traçaient
une prairie mouchetée d'étoiles

Tu nommais une à une
ces brillances sidérales
pour t'en faire des guirlandes
au carnaval des chimères

Imperceptible
entre deux déferlantes de météores
le quotidien égrenait tes utopies

Glaciale la vérité cinglait...
tu n'étais plus tout à fait d'ici

Ton corps revêtait
le jaune impertinent des départs

La mort s'installait
sous la routine lisse de ton refuge

Lumignons négligés
privés de tes appels
les astres lointains se taisaient

Pourtant en cette nuit d'août
où la Saint-Laurent pleut
ses filantes pâquerettes
il me semble entendre
l'incantation d'autrefois
Sirius
Véga
Rigel
Antarès
Bételgeuse

Sur le vide translucide du temps
tu allumes inlassablement
tes étoiles

Attente...

Son nom effraie
jusqu'aux glas des clochers

Imperturbable
elle imprime ses rides
sur mes alarmes coutumières

La faucheuse d'invisible
avance sur le sol durci
par les pas des tambours patibulaires

Elle rampe
elle vient sans se hâter
usurper mes jeux d'enfant

Elle s'insinue
aux fresques des saules
fait bruisser les sous-bois
de ses clapotis ensorcelants

D'averses en suintements
elle inonde le pied des réverbères
où l'aube tentait un détour

Elle s'infiltre sous ma peau
s'abreuve à ma sève
court-circuite les passerelles de ma mémoire

Aurai-je le temps
de me reconnaître ?

Je glisse
dans la moiteur ombragée qui l'escorte
pour me défiler un moment
au convoi inéluctable

Ce qui m'animait
soudain me désagrège

Je me déchire
devant la perfidie d'une foi
annihilée au goutte-à-goutte

Au-delà des récits insensés
où se cache la patience des mille et une nuits
derrière l'étoc de graphite que je croyais immuable
à l'équinoxe de mars
dans le boléro affolant de l'été
sur la mosaïque des automnes
je sais qu'elle attend mon hiver

Je me consume
devant la banalité grisâtre
des ornières

Ma terre tremble
dans les plis rauques
de sa marche

Je divague
au son du tam-tam vibratoire
d'ouragans à venir

S'enchevêtrent
la percussion d'un orage en forêt
la déchirure des sirènes
le sang des chasses guerrières
le tintamarre d'une apocalypse
qui fuit la détresse des funambules

Déjà
le lapis-lazuli de sa nuit
fouille mon regard

Déjà
s'incruste en moi
la fascination du vertige

Ses timbales insolentes
frappent au tympan du silence

Et
le silence
se soumet

L'abîme se refuse encore
je meurs en sursis

Ne s'étale
sur l'horizon dénoué
que le mirage compensatoire
de mondes parallèles

Face à face

Je m'égratigne
aux griffes des autres

Je ne sais plus lire aux reflets
qui m'habillaient hier de clarté

Sur le fusain du doute
tranche l'épée nue des regards

La salive des confidences s'assèche
le tracé des rencontres s'efface

S'érode le passé
piétine le présent

Quand plus personne
ne s'en souvient
la parole donnée se chiffonne
comme les draps d'une chambre éphémère

Je perds pied
dans la turbulence des carrefours

Je m'abandonne
aux balbutiements de la candeur
à l'ivresse de dire une dernière fois
je crois

Mais à rien d'autre
qu'à la force inexorable
de la Vie

Croyance tressée
de soleil et de pluie
jonglerie perverse
dans la cour des miracles

Je ne sais
rien

Je ne suis
rien

Je ne peux
rien
pour la métamorphose des mondes

Sans moi
se dévoile l'étain du fleuve

Sans moi
la feuille danse dans la paume de l'aube

Sans moi
la fougue du soleil rougit l'œil du lac

Sans moi
impassible
la navette du temps glisse et glisse à jamais
entre les trames de ses retours

Sur sa mousse d'éternité
j'ose faire naître
l'enluminure
d'un court instant de conscience

La fluide poussière de son passage
s'irise alors aux lèvres du sablier

Avec de graciles lenteurs
elle libère sa double hélice
et s'amarre aux tentacules d'albâtre
d'une galaxie en cavale

Afin
que tout
recommence…

Table des matières

Absences... 11

Passages... 19
- Aurore 20
- Matin 25
- Mitan 29
- Crépuscule 34
- Soir 37
- Nuit 43

Attente... 49

Face à face 61